RATUS POCHE

COLLECTION DIRIGÉE PAR JEANINE ET JEAN GUION

En plus de l'histoire :
– des mots expliqués pour t'aider à lire,
– des dessins avec des questions
pour tester ta lecture.

● ● ● ● ● ● ● ● ● ● ● ● ● ● ● ●

© Hatier Paris 1993, ISSN 1259 4652, ISBN 2-218 05889-8

Romain
graine de champion

Une histoire de Frédéric Jaillant
illustrée par Claude Lapointe

HATIER

Monsieur et madame Valenti

LES PERSONNAGES
DE L'HISTOIRE

Romain

Benoît

Artur

1

— Salut ! À demain.

Romain quitta ses copains de classe et monta tout droit dans le car de ramassage scolaire qui devait le ramener à Champel, le village où il habitait.

— Tu n'as pas l'air en forme ! lui demanda le chauffeur.

— Non, ça va.

— Tu as eu des mauvaises notes ?

— C'est pas ça ! répondit Romain en allant s'asseoir.

Le car démarra, quitta la ville de Flage et se mit à rouler lentement sur une route de campagne, s'arrêtant ici ou là pour déposer un élève. Il devait traverser deux hameaux avant d'arriver à Champel. Les parents de Romain habitaient une ferme isolée.

Romain se mit à penser à la psychologue de

l'école. Elle lui avait demandé quel métier il voulait faire, plus tard. Et il avait répondu : « Je veux devenir footballeur professionnel. » Elle n'avait pas compris tout de suite. Elle lui avait fait répéter :

— Quel métier ?

— Footballeur professionnel !

Romain s'était refermé. Elle devait penser comme son père : « Ce n'est pas un métier sérieux ! »

Bercé par les mouvements du car, le jeune garçon ferma les yeux. Il se vit au milieu de la cour de la ferme, en train de dribbler des adversaires imaginaires. C'est là qu'il jouait toujours. Il courait inlassablement après un vieux ballon en cuir. Entourée d'une étroite bordure de gravier, cette aire de jeu était délimitée par un hangar à tracteur et par un immense champ de betteraves alors que les deux autres côtés étaient longés par la maison et par une grange.

Le terrain était en fait un rectangle gazonné qui aurait été parfait s'il n'y avait eu dans un coin un grand saule pleureur et, presque au milieu, un pluviomètre accroché à un piquet en bois d'une hauteur d'un mètre environ. Alors, le saule et le pluviomètre devenaient des partenaires. Il s'en servait pour faire rebondir le ballon et le récupérer aussitôt, comme s'il venait de faire une passe.

Enfin, il se vit frapper de son pied droit comme si sa vie en dépendait... Il s'entendit hurler dans son rêve :

« Ouais ! But ! On a marqué, bien joué les gars ! Je vous l'avais dit que ça finirait par payer. Allez, on se replace !... »

Il allait se baisser pour ramasser le ballon quand il sentit le monde s'immobiliser brutalement. Une voix moqueuse le réveilla tout à fait :

— Alors, Romain ! Tu dors chez toi ou tu dors dans mon car ?

C'était le chauffeur. Romain descendit en souriant maladroitement pour s'excuser et prit le chemin qui conduit à la ferme. Il aperçut son frère qui rentrait de l'école primaire :

— Hé ! Benoît ! Attends-moi…

— T'as pas l'air bien, dit Benoît. T'as eu un zéro en dictée ?

— Non, c'est pas ça.

— Alors, c'est quoi ?

— Ils veulent pas que je devienne footballeur professionnel.

Cette nouvelle sembla indigner Benoît :

— Ça les regarde pas, ce que tu veux faire ! Moi, je dis que tu seras un champion.

Benoît avait beaucoup d'admiration pour son grand frère.

— T'es gentil…

Les deux frères arrivaient dans la cour de la ferme.

— Tu as fini tes devoirs ? demanda la mère en voyant Romain ranger son cartable pour sortir dans la cour.

— Oui, m'man.

— Et tu as appris tes leçons ?

— J'ai tout fini, tout appris ! dit Romain. J'peux te réciter mes conjugaisons par cœur, si tu veux. Tiens : *je pus, tu pus, il put, nous pûmes, vous pûtes, ils purent…*

— Romain, sois poli !

— Mais m'man, c'est le verbe pouvoir au passé simple…

Et dans un grand éclat de rire, Romain se précipita dans la cour. Bien sûr, ses résultats scolaires n'avaient rien d'exceptionnels. Et la conjugaison du verbe pouvoir n'était pas dans la liste des leçons à apprendre pour le lendemain… Toute la classe la savait par cœur parce qu'une fille la récitait sans arrêt en imitant la voix du professeur de français…

En vérité, l'école ne passionnait pas Romain. C'était de loin pendant les récréations, dans la cour du collège, qu'il se dépensait le plus. Il disputait des parties acharnées avec les autres élèves et un professeur était souvent obligé de donner lui-même le coup de sifflet final, parce que les joueurs n'avaient pas entendu la sonnerie de rentrée des classes.

— Romain ! Viens là ! cria sa mère.

Il pensa à la rédaction qu'il avait bâclée en dix minutes.

— Fais voir tes chaussures !

Ce n'était que cela ! Romain fut rassuré. Sa mère se pencha pour remonter un peu le jean afin de mieux examiner leur état :

— C'est bien ce qui me semblait ! Mais qu'est-ce que tu fais avec tes chaussures ? Tu donnes des coups de pied dans tous les cailloux du chemin, ma parole ! Regarde, la semelle… Il va encore falloir en acheter une paire.

— C'est le foot, m'man !

Madame Valentin haussa les épaules et rentra dans la maison. Bien sûr, elle aurait préféré que son fils rêve d'une autre profession, médecin ou ingénieur, mais elle ne voyait pas d'un trop mauvais œil sa passion pour le football. Parfois, elle pensait même qu'il deviendrait peut-être une vedette, qu'il serait un jour en première page des journaux, et, qui sait, qu'il passerait à la télévision...

Romain regarda ses chaussures d'un air navré, puis, dès que sa mère fut rentrée, il n'y pensa plus et courut chercher son vieux ballon en cuir. Il appela ses invisibles équipiers et se mit à leur donner des conseils : 5

— Toi, ce soir, il faudra être plus attentif qu'hier ! Et toi, tâche de te démarquer... Prêts ? 6

Le grand saule pleureur et le pluviomètre sur son piquet étaient prêts ! Et le match commença, entre le hangar à tracteur, le champ de betteraves, la maison et la grange. Romain était le roi du terrain. Il imaginait quarante mille spectateurs retenant leur respiration, les yeux fixés sur lui. Une injustice de l'arbitre le fit frémir de colère :

— Oh non ! monsieur l'arbitre. Il n'y a pas coup franc. Je vous assure que vous vous trompez.

Imitant des gestes vus à la télé, il se mit à genoux, implorant l'arbitre, cet homme en noir qui venait de siffler un coup franc n'existant que dans son esprit, tout comme n'existait que dans celui de Romain le joueur auquel il rendait le ballon. Enfin, le match se termina. Romain était exténué, mais il était heureux car il avait encore gagné. Dans la cour de la ferme, il restait invaincu. Cette fois, c'était sur le score de 2 à 0 que son équipe s'était imposée. Il avait évidemment marqué les deux buts.

Pour marquer ces deux buts, Romain avait réussi à envoyer le ballon deux fois dans la porte de la grange, sans qu'il touche le sol et à une distance d'au moins six pas !

La porte de la grange figurait les buts de l'adversaire tandis que, de l'autre côté, cinq rangées de betteraves représentaient ceux de sa propre formation. Et Romain mettait beaucoup moins d'application à tirer en direction du champ, réservant ses

efforts pour la grange. C'est la raison pour laquelle son équipe avait une remarquable défense, encaissait très peu de buts, et n'avait, en fin de compte, jamais perdu.

Tout à coup, Romain sursauta. Sa mère l'appelait :

— Il va faire nuit et nous dînons dans cinq minutes. Allez, rentre et va te laver les mains.

2

Le repas commença dans un silence pesant. Romain se gardait bien de parler de sa journée de classe, d'autant que son père ne semblait pas être de bonne humeur.

— Je suis passé à la mairie tout à l'heure. Il y avait le principal du collège… Il paraît que tu as vu la psychologue, aujourd'hui.

Romain se sentit mal à l'aise. Il savait que ses parents allaient lui faire des reproches :

« Footballeur, ce n'est pas un métier sérieux… Tu ferais mieux de… ».

Monsieur Valentin continua :

— Il paraît que tu ne penses qu'à jouer…

Romain regarda son père avec surprise.

— Non… dit Romain. Enfin, j'crois pas… pas plus que les copains…

— D'après la psychologue, tu ne penses qu'à taper dans un ballon. Elle dit que si tu aimes vraiment le sport, il faut faire un métier où l'on fait du sport. La police… ou l'armée… par exemple…

Romain était atterré. Une forte envie de pleurer lui nouait la gorge. Il y eut un long silence.

— Alors, j'ai dit au principal que je préférerais que tu travailles à la ferme avec moi.

Romain avait les larmes aux yeux. Sa mère en fut tout émue :

— Il est trop jeune, dit-elle à son mari. On ne peut pas décider maintenant. On verra dans quelques années.

Romain se sentit soulagé, mais monsieur Valentin fit une grimace.

— Il n'y a quand même pas que le football dans la vie. Tu devrais davantage travailler à l'école. Tiens, la géographie, par exemple…

— Mais voyons, papa, tu sais bien que c'est mon point fort. Je connais la plupart des capitales dans le monde et des villes en France, tout cela grâce à leur club de football. Je sais même le nom de leurs habitants. Vous savez, vous, comment on appelle ceux de Saint-Dizier ?

— Ça, je l'ignore, répondit le père de Romain.

— Les Bragards. Et les habitants d'Épernay ?

— Euh…

— Les Sparnaciens. Et ceux de Bourges ?

— Les Bourgeois ?

— Non…

— Alors, c'est les Bourgeons ! dit Benoît qui fit rire toute la famille.

— Eh non ! On dit les Berruyers. C'est grâce au foot que je sais tout ça…

Le père de Romain se gratta la tête.

— En géographie, d'accord. Mais en histoire… Dis-moi : 1515 ?

— C'est la bataille de Marignan, papa, c'est connu. Mais au fait, tu sais où c'est, Marignan ?

— Euh… Non…

— C'est une petite ville, en Italie, près de Milan… Et là, il y a une fameuse équipe de foot !

Monsieur Valentin préféra abandonner la discussion sur les connaissances scolaires de son fils.

— Je crois qu'il y a un bon film à la télé. Dépêchons-nous ! On va manquer le début…

3

À la ferme, il y avait une petite maison qui avait été longtemps habitée par un ouvrier agricole et son épouse. Ils avaient pris leur retraite le mois précédent et étaient partis s'installer en ville où ils avaient acheté un appartement avec leurs économies. La petite maison était maintenant vide et le père de Romain cherchait un couple pour travailler à la ferme. Il avait annoncé qu'il avait trouvé une famille qui arriverait mercredi, mais il n'en avait pas dit davantage. Et l'on était mercredi. Comme Romain n'avait pas de cours au collège ce jour-là, il fut chargé d'accueillir les nouveaux venus et de leur montrer la maison.

À peine le petit déjeuner terminé, Benoît voulut se sauver pour se poster en haut de la grange :

— C'est moi qui les verrai le premier ! C'est moi qui...

Romain se précipita devant la porte et l'empêcha

de sortir.

— Tu monteras dans la grange après. Ils ne seront peut-être pas là avant ce soir. On va d'abord jouer un peu.

Benoît n'en avait pas envie. Il aurait peut-être aimé le foot si son frère n'en avait pas fait un jeu obligatoire.

— On ne jouera pas longtemps, dit Romain. Et je t'achèterai un chewing-gum pour chaque but que tu réussiras à me marquer.

— Tu dis ça, protesta Benoît, mais après tu les achètes pas…

— Tu n'as pas encore marqué de but. Allez, viens ! Cette fois, tu vas en marquer et je t'achèterai tes chewing-gums.

— J'veux pas jouer ! déclara Benoît, d'un air buté.

Romain allait être obligé de forcer son petit frère.

— Écoute bien, si tu viens pas jouer, je te piquerai tous tes bouquins sur les animaux.

Ce n'était pas la première fois que Romain utilisait cet argument. Ça marchait toujours parce que Benoît adorait les papillons au point d'en faire la collection et de garder toutes les images, toutes les revues et tous les livres s'y rapportant.

Mais cette fois, Benoît avait de grosses larmes silencieuses qui coulaient le long de ses joues. Romain en fut ému.

— Allez, pleure pas ! Tu sais, si tu m'aides pas à jouer au foot, je ne pourrai pas devenir professionnel. J'ai besoin de toi !

Benoît leva la tête et regarda son grand frère en séchant ses larmes, tout fier à l'idée qu'il pouvait l'aider à devenir un grand joueur.

— Si c'est pour que tu sois un champion, je veux bien t'aider.

Romain se plaça en position de gardien devant la porte de la grange qui représentait les buts.

— Alors, je te tire un pénalty ? demanda Benoît. 10

Le jeune garçon tapa le ballon de toutes ses forces, mais Romain n'eut qu'à se baisser pour l'arrêter.

— Plus fort ! ordonna Romain.

Mais le jeu était trop facile et sans intérêt. Romain dit alors à son frère de tirer presque à bout portant.

— Là, tu fais vingt tirs et j'en arrête au moins

Qui tient le rôle du gardien de but ?

quinze.

Il plongeait parfois de façon acrobatique pour empêcher in extremis le ballon de toucher la porte de la grange. Mais il encaissa plus de buts qu'il n'aurait cru.

— Je t'ai marqué sept buts ! cria Benoît en dansant. C'est moi le champion.

— On fait quitte ou double, proposa Romain. Encore un penalty ! Le dernier.

— Et j'aurai mes chewing-gums ? Deux paquets ?

— D'accord.

Benoît prit son élan et frappa le ballon de toutes ses forces. Mais il manqua son coup. Et au lieu de partir sur la droite, le ballon partit sur la gauche. Aussi surpris que Benoît par ce coup de pied raté, Romain fut pris à contre-pied et le ballon toucha la porte de la grange.

— Ouais ! J'ai marqué le but ! hurla Benoît en sautant de joie.

— Tu ne l'as pas fait exprès !

— Peut-être, mais tu me dois deux paquets…

Romain s'approcha de Benoît et le prit par l'épaule.

— Tu sais que je n'ai pas d'argent. Je mets tout

de côté pour m'acheter des chaussures de foot, des vraies… Alors si je t'achète des chewing-gums, tu comprends, je ne pourrai pas m'acheter les chaussures.

— Je le savais ! protesta Benoît. C'est toujours la même chose. Mais dans ma chambre, j'ai un carnet où je note tous les chewing-gums que tu m'as promis.

Romain pensa que le total devait bien représenter plusieurs kilos de ces satanées barres avec lesquelles il faisait marcher son frère…

— Oh, je ne suis pas pressé ! ajouta Benoît. Tu me les paieras quand tu seras devenu footballeur professionnel et que tu gagneras beaucoup d'argent…

Romain regarda son frère avec étonnement et pensa qu'il ne se débrouillait pas si mal pour un gamin de sept ans.

À la fin de la matinée, le nouvel ouvrier et sa famille n'étaient toujours pas arrivés.

— Tu vois, je te l'avais dit qu'ils seraient en retard !

— Tu crois qu'ils ont des enfants ? demanda

Benoît. Pourvu que ce soit pas une fille !

— Moi aussi, j'aimerais mieux un garçon. Un garçon qui aime le foot…

— Oui, ça serait bien, dit Benoît en pensant que cette situation lui rendrait la liberté de choisir ses jeux comme il l'entend.

Pour tenter de donner une réponse à ses questions, Romain eut l'idée de s'en remettre, une fois de plus, au ballon. Il le prit dans les mains, se dirigea au centre de la pelouse et se mit à jongler. 11

— À quoi tu joues ? demanda Benoît.

— C'est simple. Si je réussis plus de cinquante contacts avec les pieds et la tête, sans que le ballon 12 touche le sol, alors l'ouvrier que papa va engager aura un fils de mon âge. Au dessus de cent contacts, il en aura deux !

— Et en dessous de cinquante ? demanda Benoît.

— En dessous de cinquante, il n'aura pas d'enfant.

— Un, deux, trois, quatre…dix-sept, dix-huit…

Benoît regarda son frère avec une extrême attention, sans prononcer le moindre mot pour ne pas le troubler et lui faire manquer un contact. Et Romain réussit soixante-deux jonglages...

4

Vers midi, une voiture entra lentement dans la cour de la ferme. La porte arrière s'ouvrit, et Romain vit descendre un jeune gaillard en culotte courte qui regardait autour de lui d'un œil inquiet. Près de lui, se tenait une fillette qui devait être sa soeur.

Romain se sentit curieusement maladroit et timide. Il n'osa pas se présenter tout de suite. En observant les nouveaux arrivants, il s'aperçut que ces derniers étaient vêtus de manière inhabituelle. Les fermiers et les ouvriers qu'il connaissait ne portaient pas des pantalons aussi serrés à la taille et aussi larges en bas. Et la veste que l'homme portait paraissait usagée, comme s'il l'avait toujours gardée pendant le travail.

L'ouvrier s'approcha de son père et se présenta. Il avait un fort accent.

Monsieur Valentin lui montra la petite maison et

fit signe à Romain de faire visiter les lieux aux nouveaux arrivants. Romain était embarrassé.

— Suivez-moi, dit-il simplement.

Comme il poussait la porte de la petite maison, il vit l'ouvrier sortir de sa poche intérieure une gourde qu'il plaça loin au-dessus de sa bouche et d'où il fit jaillir un mince filet d'eau. Du jamais vu à la ferme !

Romain eut conscience que sa gêne pouvait passer pour un manque de politesse. Mais il ne pouvait tout de même pas dire : « Je suis content parce que vous avez un garçon de mon âge... » à des gens qui étaient à peine arrivés et qui semblaient encore un peu perdus.

— Je vous laisse... dit maladroitement Romain.

Et il partit en courant vers son père qu'il bombarda de questions :

— Ils vont rester ? Tu les as engagés définitivement ?

— Non, ils sont à l'essai. C'est la règle. Je déciderai dans un mois.

— Tu savais qu'ils avaient deux enfants ? Ils ne sont pas français ? D'où viennent-ils ?

À cette dernière question, monsieur Valentin eut cette réponse moqueuse :

— Inspecteur Romain de la police rurale, la clé de l'énigme se trouve dans la cour. Elle a quatre roues !

Effectivement, la réponse figurait à l'arrière de la voiture maintenant garée devant la petite maison. Près de la plaque minéralogique, sur toute la hauteur d'un autocollant, il y avait cette énorme lettre : P... comme Portugal. Les nouveaux occupants de la petite maison étaient portugais.

L'après-midi, Romain fut obligé d'aider son père. Quand il revint dans la cour de la ferme, il était presque sept heures. Il n'y avait personne. Romain courut sous le hangar chercher son ballon.

— On dîne dans un quart d'heure ! cria sa mère. Romain ! Viens te laver les mains et te mettre à table.

Elle voulait toujours qu'il arrive à table en avance. Mais un quart d'heure, c'était bien suffisant pour taper dans le ballon. Romain regarda en direction de la petite maison. Mais rien. Ni le frère, ni la sœur ne sortaient, malgré le bruit du ballon.

— Peut-être qu'il n'aime pas le foot ? se dit Romain.

Il tapa rageusement dans le ballon pour se

calmer. Il regarda encore une fois vers la petite maison, mais il ne vit toujours personne, ni dehors, ni dedans, derrière les fenêtres sans rideaux.

Il fit encore quelques tirs contre le mur crépi. Comme il posait le ballon pour tirer une nouvelle fois, il aperçut les deux jeunes Portugais qui rentraient dans la cour de la ferme. Il fit semblant de ne pas les voir et se remit immédiatement à jouer à l'un de ses jeux préférés, dont la règle mettait en valeur toutes ses capacités sportives.

Il se plaça devant le grillage qui marquait la limite entre la cour et le petit jardin entourant la maison. Pour Romain, il représentait les filets placés dans un vrai but, entre des montants...

Le jeu consistait à dégager au pied de toutes ses forces le ballon dans la façade, de façon à ce qu'il revienne comme un tir d'avant-centre. À ce moment-là, Romain se transformait en gardien de but et se fixait comme mission d'empêcher le « ballon-boomerang » de toucher le grillage situé derrière lui. Jamais plus de quatre ou cinq mètres de distance avec le mur, telle était la règle.

Normalement, Romain commençait par envoyer le ballon droit devant lui pour le recevoir en retour

13

À quel jeu Romain joue-t-il en voyant
les enfants portugais ?

directement dans les bras. Mais à cause de la présence des deux jeunes Portugais, il compliqua tout de suite l'exercice avec des tirs légèrement en biais. Avec le rebond, l'angle ainsi donné à la trajectoire obligeait Romain à se surpasser pour éviter le grillage, donc le but. Les plongeons se succédaient à un rythme effréné.

Quand il était à terre, Romain en profitait pour jeter un coup d'œil en direction des deux enfants qui l'observaient. Il eut l'impression que le football ne les intéressait pas car ils restaient debout, immobiles.

— Romain, à table ! Et va d'abord te laver les mains.

La voix de sa mère le fit sursauter. Il avait oublié l'heure du repas ! Il courut ranger le ballon, à sa place, sous le hangar, entre l'établi et l'avant du gros tracteur, entra dans la cuisine en courant et se laissa tomber sur sa chaise.

— Fais voir tes mains, dit sa mère.

Romain les montra. Elles étaient noires, pleines de terre, à cause de tous les plongeons qu'il venait d'effectuer…

— Va vite te les laver !

5

Après le repas, Romain regarda un feuilleton à la télévision. Mais il était incapable de suivre l'histoire. Il ne pensait qu'au jeune Portugais qui ne devait pas aimer le football puisqu'il était resté sans bouger à le regarder jouer… Après tout, rien ne prouvait que ce garçon était un sportif. Et peut-être n'y connaissait-il même rien en football ?

Au moment du générique de fin, Romain était de mauvaise humeur.

— Je sors faire un tour avant de me coucher ! déclara-t-il à ses parents, étonnés par ce comportement inhabituel.

L'air du soir était doux. Il ne faisait pas froid. Romain sortit de la cour et marcha un peu sur le chemin.

La providence ne lui avait pas envoyé ce coéqui-pier dont il rêvait depuis si longtemps. 15

« Cela aurait été trop beau ! » pensa-t-il.

Pour en avoir le coeur net, il décida d'imposer une espèce de test au nouveau venu. Avant de rentrer se coucher, il se dirigea vers la grange. Avec un morceau de craie, il écrivit sur la porte en s'appliquant : EUSEBIO. Et il posa le morceau de craie, bien en vue, au pied de la porte.

Que signifiaient ces sept lettres ? Elles constituaient un test indiscutable. Si le jeune Portugais savait le déchiffrer, il pourrait avoir accès à la confiance et à l'amitié de Romain. À lui de savoir le décoder... Mais en serait-il capable ?

Le lendemain matin, Romain fit une toilette rapide et s'habilla en hâte.

— Tu ne déjeunes pas ? lui demanda sa mère en le voyant sortir dans la cour de la ferme.

— J'reviens, m'man !

Une minute plus tard, il était de retour. Mais il avait perdu son enthousiasme. Il marchait d'un pas triste. Il déjeuna en silence, prit son cartable et sortit de la maison pour se diriger vers l'arrêt du car de ramassage scolaire.

— Tu ne m'embrasses plus, maintenant ? demanda sa mère.

— Oh, pardon, m'man…

Et Romain revint sur ses pas et se blottit un instant dans ses bras.

— Oh, toi, dit-elle, je sens que tu as de la peine.

Elle lui prit le menton, le regarda droit dans les yeux et lui dit en riant :

— Allez, peine du matin n'arrête pas le pèlerin !

Ce faux proverbe fit sourire Romain. Mais son sourire disparut rapidement. Il était trop triste. Sur la porte de la grange, il n'y avait rien d'écrit à côté du mot marqué à la craie, en gros caractères visibles de loin : EUSEBIO. Son message n'avait pas été compris. C'était très mauvais signe.

La journée de classe parut interminable à Romain. Heureusement, il ne fut pas interrogé et il n'y eut pas de devoirs difficiles. Il put donc se contenter de faire semblant d'écouter et de hocher la tête de temps en temps, d'un air inspiré, comme si le sujet traité par le professeur le passionnait.

— Ça ne va pas ? lui demanda sa voisine. Tu couves la grippe ?

— C'est sûrement ça, répondit Romain, pour avoir la paix.

Et au retour, le soir, personne ne vint s'asseoir à côté de lui dans le car.

6

Tout bascula brutalement quand Romain entra dans la cour de la ferme. Sur la porte de la grange, un mot avait été écrit près du sien. Et Romain comprit tout de suite que son message avait été reçu cinq sur cinq, ou plutôt sept sur sept puisque chacun des deux mots avait sept lettres. En dessous d'EUSEBIO était maintenant écrit : PLATINI. Ainsi le fils du nouvel ouvrier savait qu'Eusebio avait été un grand joueur. Au nom du plus grand champion que le football portugais ait connu, il avait répondu par l'équivalent français. Le sésame avait fonctionné : Platini répondait à Eusebio !

Fou de joie, Romain jeta son cartable à côté de la porte de la maison et courut chercher son ballon. Il appela de toutes ses forces :

— Eusebio ! Eusebio !

Et il vit sortir le jeune Portugais de la petite maison. Le garçon dit simplement :

16

36

— Salut, Platini !

Il avait l'accent portugais, mais parlait très bien le français.

— Je m'appelle Romain.

— Je sais, c'est ta mère qui me l'a dit. Moi, je m'appelle Artur.

Ils discutèrent ainsi un long moment, face à face, debout au milieu de la cour.

— Il y a longtemps que tu es en France ?

— Ça fera bientôt deux ans. Je suis allé à l'école au Portugal et en France…

Artur montra la ferme et les champs immenses qui l'entouraient.

— Vous êtes riches…

— J'sais pas, dit Romain. Mais il y a beaucoup de travail et il faut être économe… Maman le dit souvent.

— Nous, nous sommes pauvres…

— Mais votre voiture est toute neuve !

— Oui, bien sûr. Mais si on avait une vieille guimbarde, on aurait l'air encore plus pauvres. Et on ne nous respecterait pas. Ton père voudrait pas embaucher mon père. C'est pas grave qu'on soit pauvre, mais il ne faut pas en avoir l'air !

Comme Romain voulait protester, Artur lui coupa la parole :

— Je sais de quoi je parle ! Ça a été très dur de trouver du travail…

Romain éprouvait beaucoup de sympathie pour ce nouveau camarade.

— Sois le bienvenu, Artur. Qu'est-ce qui te ferait plaisir ?

Le jeune Portugais eut un large sourire. Il aurait pu répondre : « Que ton père embauche mon père définitivement ! » ou même « Que mes parents deviennent riches ! ». Non, il dit simplement :

— Qu'on fasse un match !

Romain courut chercher son ballon. Il vit tout de suite que son ami était gaucher, mais qu'il était néanmoins capable de jouer avec les deux pieds. Il était vif, rapide et avait dû passer des heures et des heures à s'entraîner.

— Tu as déjà fait partie d'une équipe ?

— Non, répondit Artur. J'ai appris tout seul.

Il se tut, puis reprit, un peu gêné :

— J'ai envie de t'appeler Romano… Je préfère… Pour moi, c'est un prénom de champion. Sur un terrain, ce sera bien… tous les deux…

7

Dans les semaines qui suivirent leur rencontre, les deux garçons firent d'interminables parties de football. Comme ils allaient ensemble au collège, ils étaient devenus inséparables.

Un jour, environ trois semaines après l'arrivée d'Artur, leurs relations devinrent brusquement orageuses. À l'origine de cette dispute, il y eut une affaire de ballon perdu. Non pas qu'une passe ait été mal assurée sur le terrain mais, tout simplement, Artur avait égaré le ballon que Romain rangeait depuis des années si soigneusement. Tous les soirs, en effet, Romain replaçait la précieuse boule de cuir sous le hangar, entre l'établi et l'avant du gros tracteur.

— Tu n'as pas vu le ballon ? demanda-t-il un matin à Artur.

— Non.

— Pourtant, c'est toi qui as joué le plus longtemps hier soir.

— J'ai dû le rentrer avant de dîner, dit Artur.
Mais je ne me souviens pas où je l'ai rangé.

Il fit semblant de réfléchir, puis ajouta :

— J'ai un trou de mémoire…

Romain s'emporta :

— C'est mon ballon ! Tu devais le ranger !

— Oh ! je ne suis pas ton esclave ! Monsieur se
croit peut-être supérieur parce qu'il est français et
que je suis portugais…

Romain préféra s'éloigner et s'isoler en arpentant
les champs entourant la ferme. Il marchait depuis
plus d'un quart d'heure quand il retrouva son ballon, entre deux rangées de maïs, noyé dans un
océan de tiges et d'épis lui arrivant bien au-dessus
de la tête. Après avoir shooté par-dessus le toit du
hangar, Artur avait négligé de récupérer la balle.
Égoïste, tel lui apparaissait son équipier. Romain
cria d'abord très fort une série d'injures destinées à
fustiger l'attitude d'Artur. Ensuite, la colère pas-
sée, Romain fut très peiné par l'incident.

Les jours qui suivirent, il ne put s'empêcher de
voir Artur d'un œil très critique. Ses qualités
l'avaient ébloui les trois premières semaines, ses

défauts lui faisaient maintenant horreur. Et Romain les voyait tous. C'était un garçon s'intéressant d'abord à lui-même, un joueur assez personnel. Par exemple, quand le ballon avait besoin d'être gonflé, il s'inscrivait aux abonnés absents. En revanche, quand il s'agissait ensuite de vérifier s'il rebondissait suffisamment, là, Artur répondait présent et était toujours candidat pour jongler.

Mais peu à peu, Romain apprit à accepter ces défauts, car Artur avait aussi de grandes qualités. Ainsi, il cultivait une malice qui en faisait un partenaire ô combien utile. Il trouvait des solutions aux situations qui paraissaient les plus compromises. Il savait, grâce à des attitudes habiles et des compliments bien sentis, se faire apprécier des adultes. Ses parents et ceux de Romain le prenaient pour un enfant modèle alors que c'était pourtant loin d'être le cas. Le soir, quand l'heure du dîner était arrivée, il trouvait toujours une nouvelle invention pour retarder l'échéance et prolonger la partie. Dès qu'un appel résonnait dans la cour, Artur savait le faire taire :

— Mais, maman, attends un peu ! Romano est

mené au score. Laisse-lui une chance d'égaliser !

Le lendemain, le père de Romain appelait :

— Romain, il est l'heure de rentrer...

Artur trouvait une réponse :

— Mais, monsieur, attendez un peu ! Romain promet qu'il vous aidera à tondre la pelouse demain si vous le laissez jouer encore un quart d'heure.

Pour un quart d'heure de jeu, Romain fut obligé de tondre un carré de pelouse !

Tant d'aplomb et d'ingéniosité laissaient Romain rêveur. Lui qui était d'un naturel si spontané, si franc, en un mot un peu naïf, lui dont le plaisir passait d'abord par celui des autres, il apprenait qu'en rusant, on pouvait beaucoup obtenir.

Alors, après s'être fâchés, Romain et Artur se réconcilièrent tout à fait. Ils venaient de comprendre qu'ils étaient complémentaires. Ils décidèrent de sceller leur amitié... Pour cela, ils se retrouvèrent un soir dans la grange. Ils commencèrent par une solide poignée de main :

— C'est idiot de se bagarrer, dit Romain. La prochaine fois, il faudra qu'on trouve un arbitre pour dire qui a tort et qui a raison...

— J'ai une idée ! dit Artur. L'arbitre, ce sera le ballon ! Chaque fois qu'on ne sera pas d'accord, on fera un tir au but. Cinq coups chacun. Et le ballon décidera…

Comme Romain n'avait pas l'air convaincu, Artur expliqua :

— Si je dis que tu es bête comme un poireau…

— Sois poli ! Bougre d'âne…

— Eh ! du calme ! Tête de poireau ! cria Artur.

— Bougre d'âne ! répéta Romain.

— C'est pas la peine de se battre. Je pose le ballon en face de la porte de la grange et je tire cinq pénalties… À toi de les arrêter. Après, on inverse les rôles. C'est à ton tour de tirer cinq fois. Celui qui a raison va forcément gagner…

— C'est idiot ! dit Romain.

— Pas si idiot que ça ! dit Artur. C'est comme ça qu'on départage les équipes à égalité après le temps réglementaire. C'est une façon comme une autre de choisir le meilleur.

Romain finit par convenir qu'Artur avait raison.

— Ce sera l'épreuve du ballon, déclara Romain. Mais en attendant, tu es toujours un bougre d'âne !

— Et toi une tête de poireau !

Quelle est la règle de l'épreuve du ballon ?

16

Cinq coups de pied depuis le pluviomètre. Celui qui réussit à envoyer le ballon par-dessus la grange a gagné.

17

Cinq tirs au but chacun contre la porte de la grange. L'autre doit les arrêter. Celui qui a raison est celui qui marque le plus de buts.

18

Cinq tirs contre la porte de la grange depuis le pluviomètre. Le premier qui rate la porte a perdu et c'est l'autre qui a raison.

L'épreuve du ballon les départagea : trois partout. Le ballon avait été formel : Artur n'était pas un bougre d'âne, Romain n'était pas une tête de poireau !

8

À l'arrivée de la famille portugaise, les parents de Romain s'étaient donné un mois pour décider de l'avenir de leurs nouveaux employés à la ferme.

Romain en avait parlé à son père dès les premiers jours, en affirmant :

— Ils sont bien, les nouveaux, hein, papa ?

— Ils ont l'air... avait répondu laconiquement 24 monsieur Valentin.

Quelques jours plus tard, Romain était revenu à la charge :

— Tu vas les embaucher définitivement ?

— C'est trop tôt pour savoir ! avait répondu son père.

Romain n'avait pas admis cette réponse évasive :

— Tu as une mentalité de patron ! avait-il hurlé.

Comprenant les raisons qui poussaient son fils à

se montrer impatient et injuste, le fermier répliqua fermement :

— Ne dis pas de sottises. Embaucher quelqu'un, c'est important. Une fois qu'il aura été embauché, il travaillera ici aussi longtemps qu'il voudra, toute sa vie peut-être. Alors, il ne faut pas se tromper. Et peut-être que lui aussi ne voudra pas rester. Il ne se plaît peut-être pas ici.

Puis il ajouta pour rassurer Romain :

— On s'est mis d'accord, tous les deux. C'est le 25 qu'on se donnera les réponses. La sienne et la mienne. D'ici là, il faut attendre.

Le délai d'un mois laissait le temps de faire passer au père d'Artur toute une série de tests, allant de la capacité à reculer une remorque chargée de betteraves à l'assiduité au travail, en passant par la connaissance des engrais à utiliser. 25

Le 24, la veille du jour fatidique, était un mercredi. Romain et Artur n'avaient pas classe. Ils étaient tellement anxieux qu'ils n'avaient pas le goût de jouer. La journée s'annonçait longue et pénible…

— Moi, je crois que ça va marcher ! dit Artur.

J'ai entendu mon père et ma mère en discuter, en portugais. Ils disaient que le travail était intéressant, mais mon père trouve que ce n'est pas assez payé, à cause des horaires. Il voudrait un peu plus...

— Aïe ! dit Romain. Hier soir, mon père et ma mère faisaient des comptes. Ils disaient que l'année serait difficile.

Il eut une idée :

— En jouant au foot, on pourrait peut-être savoir si tu vas rester.

— Comment ? demanda le jeune Portugais.

Et ils discutèrent sur les règles d'un jeu possible pour prévoir la décision du 25. Ils finirent par tomber d'accord.

— Je te fais 90 centres, 45 du côté droit et 45 venant de la gauche. Si tu marques un but sur deux, tes parents seront engagés à la ferme...

— D'accord !

Isolé à un angle de la pelouse, Romain se tenait à une distance d'environ dix mètres de l'endroit où se trouvait Artur. Ce dernier faisait face à la fameuse porte de la grange figurant les buts imaginaires où Romain, du temps où il était seul dans la cour, avait marqué des milliers de fois.

— Prêt ? demanda Romain.

Artur regarda très fort la porte de la grange qui représentait les buts.

— Prêt, répondit-il.

Mais tout aussitôt, il ajouta :

— Attends, on est bien d'accord sur les règles ? Comme il n'y a pas de gardien de but, sur tes 90 centres, je dois en reprendre 30 du pied droit, 30 du pied gauche et 30 de la tête ?

Une nouvelle fois, ils répétèrent la règle, comme pour se rassurer.

La partie commença très mal. Les deux garçons étaient crispés. Les centres de Romain n'étaient pas aussi bien ajustés que d'habitude et Artur était maladroit. Le début fut catastrophique : un seul but sur les dix premières tentatives ! Il y eut quelques gestes et paroles de mauvaise humeur :

— Mais qu'est-ce que tu fabriques, Romano ? Tu appelles ça des centres ? Alors, arrête d'envoyer le ballon dans le zig quand je suis dans le zag…

— Décidément, avec toi, c'est toujours de la faute des autres. Moi, je ne te dis qu'une chose : arrête de courir avant que j'aie frappé.

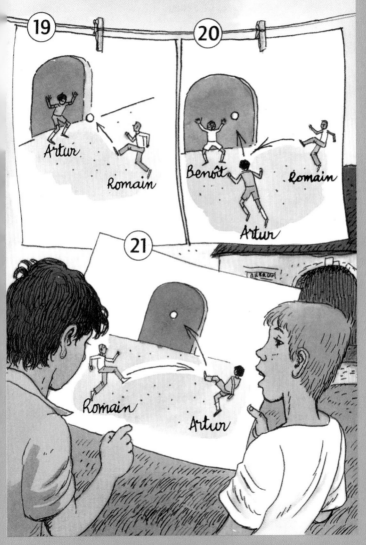

— Mais je ne cours pas !

— Si ! Contente-toi de sautiller et ne t'élance que lorsque le ballon est parti.

L'entente entre les deux compères n'était pas encore parfaite. Il fallut quelques mises au point techniques et elle devint nettement meilleure.

La partie durait déjà depuis une heure, car récupérer le ballon après chaque centre prenait du temps. Sur 45 centres de Romain, Artur avait en partie remonté la pente et inscrit 16 buts. La proportion était plus digne d'un bon joueur, mais encore insuffisante pour qu'Artur et ses parents restent à la ferme, du moins selon le code établi.

Après une période de repos bien méritée, Romain changea de coin sur la pelouse. Le score passa à 31 sur 70. Il fallait marquer 14 buts contre la porte de la grange sur les 20 derniers essais... du pied droit ! Les centres de Romain étaient devenus d'une telle précision et Artur lisait à présent leur trajectoire avec une telle clarté que chaque reprise atteignait maintenant la cible avec une régularité de métronome.

26

Mais ce qui devait arriver arriva : à force de recevoir des coups, la poignée céda. La porte resta bloquée. Peu importait, la dernière note était de 19 sur 20 pour un résultat final de 50 sur 90. Et cela voulait dire que les parents d'Artur étaient engagés. Le score final fut accueilli par des « hourras ! » de joie.

9

Le soir, au repas, Romain annonça triomphant à son père, stupéfait d'entendre la nouvelle de la bouche de son fils :

— Ça y est ! Les parents d'Artur sont embauchés !

— Ah !... Comment le sais-tu ? Je viens à peine de le décider.

— C'est le foot qui nous l'a dit. Artur a mis cinquante buts dans la porte de la grange. Et quarante-cinq suffisaient...

Le père de Romain eut une attitude curieuse. D'une part, il avait envie de rire à l'idée qu'on puisse essayer de deviner l'avenir en tapant dans un ballon... Mais d'autre part, il avait envie de se mettre en colère. Et c'est ce qu'il fit, en fin de compte :

— Alors, la porte de la grange, c'est vous ! J'ai cru que c'était une négligence du père de ton copain. Et je me suis fâché ! Il a dû croire que je cherchais

27

54

un prétexte pour ne pas l'engager. Romain, va t'excuser. Et tout de suite ! Tu leur dis de passer nous voir après le repas, disons à huit heures et demie.

Quand les parents d'Artur sont arrivés, ils avaient l'air heureux. Romain leur avait déjà annoncé la bonne nouvelle. La soirée fut chaleureuse. Tandis que les adultes évoquaient l'avenir, Artur et Romain s'inventaient de futurs exploits. Benoît avait sorti son plus beau livre sur les papillons et commentait les photographies à Linda, la sœur d'Artur.

Cette nuit-là, Romain s'endormit en pensant au football, comme à l'ordinaire. Mais il fit un étrange rêve. Il était capitaine de l'équipe de France. C'était la finale de la Coupe du Monde. L'équipe tricolore rencontrait le Brésil. Les images défilaient dans sa tête. Il se voyait parfois attaquant, parfois défenseur. Il fut aussi gardien de but pour empêcher l'adversaire de marquer. Mais, quel que soit son poste, c'était toujours lui qui commandait la manoeuvre sur le terrain. La foule criait son nom : Romano ! Romano !

Tout à coup, l'arbitre se dressa en face de lui : c'était Artur ! Il levait un carton rouge pour sortir un adversaire qui essayait d'attraper le ballon avec un filet à papillons et qui ressemblait à Benoît. Puis Artur fit signe à Romain de tirer un pénalty. Au moment où Romain s'élança, il s'aperçut que le gardien de but adverse n'était autre que son père qui lui posa une question de géographie. La foule en délire hurlait : « On va gagner ! On va gagner ! »

Romain se réveilla en sursaut… Il était trois heures du matin.

10

Sûrs de leur force, Romain et Artur ne rêvaient plus que d'une seule chose : être confrontés à des adversaires. Ils jouaient au collège dans la cour de récréation, mais ce n'était pas de vrais matchs. Quant aux cours d'éducation physique, il valait mieux ne pas en parler. C'était intéressant, bien sûr, mais le football ne devait pas être une activité au programme.

— Il faudrait organiser des matchs, le soir, après la classe, dit un jour Artur.

— Ça serait bien. Oui, mais le car de ramassage scolaire ne nous attendrait pas. Il faudrait rentrer à pied…

Bref, c'était impossible. En semaine, il fallait se contenter de la cour de la ferme. Le dimanche, Artur et Romain allaient voir l'équipe du village jouer sur le terrain communal. C'était une équipe d'amateurs, de bons copains, dont on voyait la photo dans le journal local, le lundi matin. Mais pas de vrais joueurs, passionnés par le foot.

Maintenant, l'été approchait. Il y avait de plus en plus de travail à la ferme et Romain était souvent mis à contribution.

Un soir de début juin, monsieur Valentin appela les deux garçons :

— J'ai une bonne nouvelle à vous annoncer. Il va y avoir une fête pour la fin des moissons. Comme d'habitude, on va pouvoir s'amuser, danser…

Romain pensa à Linda. Accepterait-elle de danser avec lui ?

— …et cette année, continuait monsieur Valentin, il y aura… devinez quoi ?

— Du foot ? demanda Artur.

— Oui, un match de foot ! J'en avais parlé au maire, il y a un mois. Il en a parlé à son tour au maire de Flage…

Flage, c'est la ville la plus proche, une petite sous-préfecture de trente mille habitants, où se trouve le collège. C'est à dix kilomètres au nord de Champel. La ville fait beaucoup d'efforts pour le football au point d'entretenir une équipe professionnelle certes modeste, mais se maintenant au fil des années en deuxième division.

— Il y aura un double match de football : l'un pour les jeunes, l'autre pour les adultes. Le maire et le curé s'occupent de constituer une sélection du village.

— On en fera partie ? demanda Romain.

Monsieur Valentin eut l'air gêné :

— Il y a un petit problème…

Romain était devenu tout pâle. Les mains d'Artur étaient moites.   29

— On ne pourra pas jouer ? demanda le jeune Portugais.

— C'est difficile… Romain pourra jouer, parce qu'il est du village… mais toi…

— C'est interdit à un Portugais de jouer dans l'équipe du village ? demanda Artur.

— C'est pas vraiment ça, dit le père de Romain, embarrassé. J'en ai parlé au maire. Tu comprends, tu n'habites pas ici depuis longtemps. Et puis, tous les villageois veulent voir leur fils dans l'équipe… Il n'y a pas de place pour toi…

Monsieur Valentin baissa la tête. Avant de partir, il ajouta :

— J'en reparlerai au maire et au curé demain.

Artur était abattu par la nouvelle.

— Ça va s'arranger, lui dit gentiment Romain.

Le jeune Portugais haussa les épaules. Il avait les larmes aux yeux :

— C'est du racisme !

— Non, expliqua Romain. Tu habites au village depuis quelques mois seulement. Ton père ne vote pas ici…

— Oui, mais il travaille ici ! Et ma mère aussi ! Ce n'est pas important de travailler ? Alors, on ne vaut pas mieux que votre tracteur ?

Romain sentait bien tout ce que cette situation avait d'injuste :

— Mon père te l'a dit. Il va en parler au maire demain. Et au curé. Écoute, je ne jouerai pas si tu ne joues pas…

Puis il ajouta :

— On va faire un serment !

Romain entraîna Artur dans la grange et lui expliqua ce qu'ils allaient faire. À la lueur de l'ampoule qui éclairait l'établi, ils entreprirent de rédiger un serment qui scellerait leur amitié. Ce n'était pas facile et il leur fallut beaucoup de temps. Finalement, ils écrivirent une phrase qu'ils lurent ensemble en se posant la main droite sur l'épaule gauche :

— Je serai ailier, tu seras avant-centre, dit Romain.

— Tu seras ailier, je serai avant-centre, dit Artur.

Dans leur regard, se lisait la volonté de réussir ensemble. Et c'est ensemble qu'ils prononcèrent l'essentiel du serment :

— Nous jurons de toujours être tous les deux dans la même équipe.

Ils ajoutèrent ensuite, chacun à leur tour :

— Je jure de te faire marquer le plus de buts possible, Eusebio-Artur !

— Je jure de te faire marquer le plus de buts possible, Platini-Romano !

Avec un stylo à bille, Romain écrivit EUSEBIO sur le pied gauche d'Artur, puis ce fut au tour d'Artur d'écrire PLATINI sur le pied droit de Romain. Le jeune Portugais avait oublié le problème qui les avait amenés à sceller ce serment. Il était maintenant joyeux :

— Et interdiction de se laver le pied ! dit-il en riant.

Romain éclata de rire, et le serment se termina

Quel est le serment d'Artur et de Romain ?

25 Quand je serai arbitre, je te ferai gagner.

26 Nous jouerons toujours dans la même équipe.

27 Je serai gardien pour laisser passer tes tirs.

28 Interdiction de se laver les pieds !

par un grand fou rire qui ne s'arrêtait pas.

— Ma mère ne va pas être d'accord ! finit par articuler Romain.

Puis il redevint tout à coup très sérieux :

— Tu sais, même si l'encre s'efface, le nom restera gravé…

Par ce serment, ils avaient décidé de former le tandem le plus redoutable jamais vu dans l'histoire du football. Ils ne se doutaient pas encore, eux qui voulaient devenir des buteurs en luttant dans le respect des règles, qu'ils allaient établir leur devise, en quatorze lettres et trois mots. En effet, en mélangeant toutes les lettres qui constituent les noms EUSEBIO et PLATINI, ils découvrirent quelques jours plus tard cette anagramme : LOI... PEINE... BUTAIS... Oui, devenir des buteurs en luttant et en respectant les règles du jeu !

11

Il y eut des réunions pour préparer les matchs. Le club de Flage racontait partout qu'il allait bien s'amuser contre les paysans de Champel. Les joueurs étaient si certains de leur supériorité que l'un d'eux avait parié que Flage gagnerait par au moins dix à zéro !

Pour répondre à ce défi, le conseil municipal de Champel se réunissait presque tous les soirs au Café des Boules. Il y avait un monde fou et les discussions étaient vives.

Malgré l'intervention du père de Romain, le maire ne voulait rien savoir. Ce problème l'énervait, sans doute parce qu'il chatouillait sa conscience. Un soir, à la sortie de la réunion, il dit à monsieur Valentin :

— Réfléchissez un peu ! Si on fait jouer votre petit Portugais, il n'y aura pas de place pour le fils du boulanger.

— Ça ne fait rien, il ne sait pas taper dans un ballon !

— Oui, mais le boulanger vote pour moi ! Si son fils ne joue pas, on ne sait pas ce qu'il fera aux prochaines élections…

Malgré tous les efforts du père de Romain, la situation était bloquée. Il essaya une nouvelle fois d'expliquer les choses à Artur :

— Le maire ne veut pas changer d'avis. Tes parents sont étrangers. Ils n'ont pas le droit de vote. Tu ne peux donc pas être sélectionné dans l'équipe du village.

Artur s'était mis une nouvelle fois à pleurer.

— On a fait un serment avec Romain. On joue ensemble ou on ne joue pas ! Si je ne joue pas, Romain ne joue pas ! Demandez-le-lui…

Romain avait confirmé qu'il ne jouerait pas si Artur ne faisait pas partie de l'équipe.

— Tu laisserais tomber ton village ? demanda son père.

— C'est un village raciste ! dit Romain. Ça me ferait pas de peine.

Monsieur Valentin n'avait rien répondu. Il était sorti et avait filé droit chez le curé. Il savait que le curé et le maire n'affichaient pas les mêmes opinions, qu'ils étaient plutôt rivaux, tout en s'estimant beaucoup l'un l'autre.

Le curé commença par s'excuser de ne pas participer aux réunions préparatoires qui avaient lieu au Café des Boules :

— Vous comprenez, un café n'est pas un lieu de réunion recommandé pour un prêtre…

Puis il écouta attentivement ce que lui racontait monsieur Valentin :

— C'est très ennuyeux ! dit-il. Il faut trouver une solution. D'un côté, Romain n'a pas tort… de l'autre, il ne peut pas laisser perdre le village. J'ai une idée… On va aller voir le maire…

Le maire invita monsieur Valentin et le curé à s'asseoir autour de la table de la salle à manger.

— Je sais ce qui vous amène, dit le maire. Si vous avez une idée, dites-la !

— C'est simple, dit le curé. Je propose qu'Artur fasse partie de l'équipe de Champel et qu'il soit remplaçant.

— Mais ça ferait huit remplaçants, dit le maire. C'est beaucoup trop…

— Le problème n'est pas là ! dit le curé. À Flage,

ils s'amusent à parier qu'on sera battu par dix à zéro.

— Pour les adultes, c'est possible, reconnut le maire. Ils sont trop forts pour nous. Mais pour les jeunes, ça non ! On peut gagner.

— Si on veut gagner, dit le curé, il faut s'en donner les moyens. Il faut que Romain joue. Et Artur aussi. Ils jouent toujours ensemble.

Le maire se sentit soudain très las de toujours répéter les mêmes choses :

— Vous savez bien qu'Artur ne peut pas jouer, monsieur le curé. Même pas comme remplaçant. Ses parents sont portugais et ils ne sont pas inscrits sur les listes électorales.

Le curé finit par s'énerver :

— Avec votre histoire de listes électorales, vous allez nous rendre ridicules. Vous savez que Romain refuse de jouer si Artur ne joue pas…

— On m'en a parlé, dit le maire. C'est ennuyeux.

— On vous a peut-être dit pourquoi il ne veut pas jouer ?

— Oui, on raconte qu'ils ont fait un serment de toujours jouer ensemble.

— On a oublié de vous dire quelque chose, monsieur le maire. C'est ce que dit Romain.

— Et qu'est-ce qu'il dit ?

— Il dit surtout qu'il ne veut pas jouer pour un village raciste.

Le maire fit un bond sur son siège. Le curé continua.

— Ça va se savoir ! Vous imaginez ce qu'ils vont raconter sur nous, à Flage ?

Le maire serra les dents :

— Bon, d'accord. Artur fera partie de l'équipe de Champel et il jouera comme remplaçant. Et tant pis s'il y en a huit au lieu de sept.

— Remplaçant, c'est mieux que rien ! dit le curé.

Ce n'était pas vraiment une bonne nouvelle, mais c'était un premier pas.

69

12

Le jour de la fête des moissons arriva et on commença par le match des adultes. Artur était fier de porter le maillot de l'équipe de Champel, même s'il devait rester sur le banc des remplaçants et vivre le match du bord de la touche.

L'ambiance était survoltée. Les gens étaient venus nombreux de Flage et il y avait des voitures garées partout. Des groupes de gamins tournaient autour du terrain en chantant :

— Y'a pas d'champions, à Champel !

D'autres leur répondaient :

— Les Flageolets sont laids… Les Flageolets sont faits…

Artur demanda à Romain :

— On les appelle vraiment Flageolets, les gens de Flage ?

— Non, ce sont les Flageais. Mais à Champel, on trouve que c'est plus drôle. Eux, ils nous appellent bien les Shampooings !

De l'autre côté du terrain, un groupe de jeunes hurlait :

— Les Shampooings, au vestiaire !

Puis ils soufflaient dans des trompettes comme s'ils fêtaient déjà leur prochaine victoire.

Le match des adultes fut en effet une déroute 32 pour Champel. C'était prévu, bien sûr, mais six à zéro, tout de même... C'était très sévère.

— Il va falloir sauver l'honneur ! dit Romain.

— Moi, je n'ai pas le droit de jouer, dit Artur d'une voix triste.

Romain regarda son ami avec un œil malicieux :

— Ne t'inquiète pas. Ils vont avoir besoin de toi bientôt. Quand il y a le feu, on appelle les pompiers...

Puis il ajouta :

— Je vais préparer ton entrée. Je vais essayer de résister au maximum. Il faut prendre le moins de buts possible...

Artur vécut la première mi-temps du match depuis son banc de remplaçant, une première mi-temps en forme de calvaire pour ses équipiers.

Qui a gagné le match des adultes ?
Sur quel score ?

Isolé sur l'aile droite, Romain parvenait à enchaîner les dribbles mais aucun de ses centres ne trouvait preneur. C'était comme si tous les ballons
qu'il expédiait retombaient dans le désert. Romain
avait beau se démener, gesticuler, se fâcher même,
sa façon de jouer était trop subtile et aucun but ne
fut marqué par son équipe. Il jetait des coups d'œil
désespérés vers le bord de la touche où Artur se
morfondait. Il avait l'air si malheureux de ne pouvoir venir en aide à son ami ! « PEINE », pensa le
jeune Portugais.

Comble de malheur, les jeunes de Flage surent
profiter du découragement qui accablait progressi-
vement les villageois. Les joueurs de la ville mar-
quèrent deux fois en fin de première période. Deux
à zéro à la mi-temps. Après la défaite des adultes,
ce score était un véritable désastre !

En se regroupant vers la main courante, les
enfants du village avaient la mine triste.

Le curé arriva vers eux à grandes enjambées :

— C'est moins mauvais que les adultes, dit-il,
mais ce n'est quand même pas brillant !

Puis il s'en prit au maire qui arrivait à son tour :

— Qu'est-ce qu'on attend pour faire jouer Artur ?

— Il va jouer, dit le maire. Il va jouer après la mi-temps.

Romain eut un sourire rayonnant et s'approcha d'Artur :

— Allez, tu entres sur le terrain, maintenant. Il va falloir montrer ce qu'on sait faire !

Tous les deux s'éloignèrent du reste de l'équipe, comme pour mieux se préparer. Ils savaient que, désormais, tout reposait sur eux ! Ils s'assirent dans le rond central et pendant que Romain déla-çait ses chaussures pour donner un peu d'aise à ses pieds, Artur enfila les siennes. Puis, toujours sans prononcer une parole, ils échangèrent un long regard. Les yeux dans les yeux, ils comprirent qu'ils pourraient compter l'un sur l'autre et qu'ils avaient le pouvoir de renverser la situation. Comme pour symboliser leur communion, Romain fut le premier à parler :

— Platini, dit-il.

— Eusebio, lui répondit Artur.

Et ils rejoignirent le groupe qui rentrait sur le ter-rain pour reprendre le match.

13

D'entrée de jeu, Romain et Artur se situèrent l'un par rapport à l'autre comme ils l'avaient fait tant de fois dans la cour de la ferme, Romain sur le côté, Artur au centre, à une distance comprise entre dix et vingt mètres.

L'équipe de la ville, mise en confiance par ses deux buts d'avance dominait légèrement. Le village procédait en contre-attaques, menées rapidement. La vitesse de Romain faisait merveille et la première fois où il put aller au bout de son action pour centrer, il s'en fallut d'un cheveu qu'Artur puisse reprendre le ballon de la tête.

— Pas grave ! lui cria Romain en revenant dans son camp. La prochaine sera la bonne.

— Ouais, la prochaine sera la bonne, hurla Artur en écho.

Effectivement, l'occasion suivante fit mouche. Au début, ce fut un long dégagement en cloche du gardien de but de l'équipe du village. Romain reprit et partit en dribbles. Un, deux, trois adversaires effacés... Il n'en restait plus qu'un, mais c'était de loin le plus costaud et du coup, comme c'est généralement le cas dans les petites catégories, c'était le meilleur de son équipe. Artur comprit la situation. Il vint en soutien de Romain qui lui donna le ballon au moment où le dernier adversaire s'élançait sur lui. La suite fut un jeu d'enfants : Romain poursuivit sa course, Artur lui redonna le ballon. Le une-deux parfait ! Seul, face au gardien de Flage, Romain tira en coin de l'intérieur du pied. But ! 2 à 1, l'écart n'était plus que d'un but.

— Super, Romain !

Tous ses camarades félicitèrent le buteur. Au milieu des cris, Romain reconnut la voix d'Artur. C'était le seul à avoir exprimé sa joie de cette manière :

— Super, Romano !

Autour du terrain, les Flageais applaudissaient du bout des doigts. Les villageois, eux, dansaient de joie. Il y avait tous les habitants de Champel, d'abord, qui hurlaient, chantaient, soufflaient dans des trompettes et des sifflets. Et puis, il y avait aussi les habitants des autres villages qui ne seraient pas fâchés que la ville soit battue.

— Ça leur ferait du bien ! dit un spectateur.

— Leur orgueil va en prendre un coup, dit un autre qui avait remarqué le tandem Romain-Artur. Ils jouent bigrement bien, ces deux petits !

Mais la partie n'était pas facile. Le gardien de Flage jouait bien et il réussissait un grand match.

Il restait seulement dix minutes à jouer quand survint l'égalisation. Elle était du plus grand classicisme. Débordement et centre de Romain. Reprise du pied droit d'Artur qui s'était jeté sur la trajectoire du ballon en l'ayant devinée avant tout le monde : 2 à 2 ! Artur était fou de joie. Il courut vers Romain pour le remercier.

— Super, Artur ! criait Romain.

En se dirigeant vers le rond central pour l'engagement, Artur fit un détour vers la ligne de touche pour adresser un poing gagneur en direction de ses supporters.

Pour marquer un dernier but, le but de la victoire, il restait à présent moins de huit minutes. Romain et Artur étaient déchaînés mais leurs adversaires, ayant bien compris d'où venait le danger, utilisaient tous les moyens pour les arrêter. Les fautes étaient parfois méchantes, ce qui obligeait l'arbitre à devenir de plus en plus sévère. Plus que cinq minutes à jouer quand Romain tenta un nouveau dribble. Encore une fois son adversaire direct fut débordé. Encore une fois, le Flageais commit une irrégularité.

Au lieu de s'intéresser au ballon, il avait préféré « jouer le bonhomme », c'est-à-dire Romain. Ce dernier, après avoir reçu le ballon, l'avait immobilisé net à ses pieds. À la manière d'un picador qui provoque le taureau, il avait fait mine plusieurs fois de démarrer pour affoler son adversaire direct. Et au moment où le Flageais s'était élancé pour tenter l'interception, Romain avait glissé son pied sous le ballon pour pouvoir le faire sauter en l'air, d'un coup sec par-dessus la tête de son garde du corps. C'est ce qu'on appelle « le coup du sombrero » et c'en était trop pour le Flageais qui avait alors fait obstruction violemment et méchamment avec son épaule, pour empêcher Romain de poursuivre son action.

Face à cette nouvelle faute, l'arbitre décida

Où Romain fait-il « le coup du sombrero » ?

d'intervenir avec la plus grande fermeté : carton rouge ! Une décision importante, en dépit du fait qu'on était à quelques minutes de la fin du match. « LOI » songèrent Romain et Artur.

Les spectateurs surveillaient leur montre.

— Encore cinq minutes de jeu ! dit le maire.

— Cinq minutes et dix secondes, d'après mon chronomètre, précisa le curé.

Ces cinq minutes pouvaient tout changer. La ville allait maintenant jouer à dix. Les chances de Champel augmentaient. Tous les villageois croyaient en la victoire car l'adversaire était à présent diminué numériquement et moralement. Et surtout, ils découvraient avec étonnement qu'il y avait deux joueurs exceptionnels dans leur équipe.

— C'est le moment ou jamais, Romano ! dit Artur.

— On va les avoir, Artur !

Romain avait tout juste terminé sa phrase que le ballon lui parvenait. Cette fois, il ne restait plus que quatre minutes à jouer. Feinte de corps, crochet extérieur, enchaînement avec un grand pont sur un deuxième adversaire... Sachant que sur cette action de la dernière chance, rien n'arrêterait Romain,

Artur s'était immédiatement placé au second poteau, c'est-à-dire face au but, du côté opposé à celui où Romain se trouvait. Dans la cour de la ferme, quand Romain faisait mine d'enchaîner un crochet extérieur et un grand pont face au pluviomètre, c'était en effet toujours de l'autre côté de la porte de la grange que le ballon finissait par arriver.

— Allez, Champel ! Allez, Champel ! chantaient les spectateurs.

Mais celui qui criait le plus fort, c'était le maire :

— Vas-y Romain, vas-y Artur ! Va-zi-Ar-tur ! Va-zi-Ar-tur !...

Le jeune Portugais entendit cette voix au milieu d'un concert de hurlements, de coups de sifflets et de trompettes. Il reconnut le maire et cela décupla ses forces et son adresse. Ce fut le ressort qui lui permit de sauter assez haut pour reprendre de la tête le centre un peu trop aérien de Romain. Oh ! Ce fut plus une déviation qu'un véritable coup de tête. Mais en tout cas, cela suffit : les filets tremblèrent.

Le miracle venait de se produire : la balle était bel et bien entrée dans le but des Flageais ! Mené deux à zéro à la mi-temps, le village avait trouvé

Qui a marqué le but de la victoire ?

les ressources nécessaires pour égaliser, puis pour gagner dans les ultimes secondes. Romain et Artur avaient marqué les trois buts de leur équipe : « BUTAIS » disait aussi leur devise.

Au moment où l'arbitre donna le coup de sifflet final, une explosion de joie retentit autour du stade. La victoire des jeunes effaçait la défaite des adultes.

Tout le village avait oublié qu'Artur avait failli ne pas jouer ce match. Le maire, lui, avait même complètement perdu la mémoire. Il fut le premier à embrasser les deux enfants de la ferme. Tout à leur joie de vainqueurs, Artur et Romain ne lui en voulaient plus.

Autour du terrain, les spectateurs de Flage faisaient grise mine. Et quand le maire de Champel remit les coupes, il ne put s'empêcher de remuer le couteau dans la plaie :

— Je tiens à féliciter l'équipe des adultes de Flage pour leur brillante victoire, commença-t-il par dire.

Et après de brefs applaudissements, il enchaîna :

— Mais surtout, bravo aux jeunes de Champel dont le match brillant montre que notre commune sait préparer l'avenir. Bravo à Romain ! Bravo à Artur ! Vive Champel ! Vive l'avenir !

C'était presque un discours de campagne électorale, et le curé se contenta d'applaudir du bout des doigts.

Quant au maire de la ville, il avait été tellement enthousiasmé par le jeu de Romain et d'Artur qu'il en oublia la défaite de sa propre équipe de jeunes. Il proposa aux deux garçons de Champel de prendre sans tarder une licence dans son club.

— À une condition : nous voulons ne jamais être séparés ! dirent les deux enfants.

— D'accord, dit le maire de Flage. C'est promis.

Et il prit la parole à son tour :

— C'est dans l'entente que nous ferons des progrès. Dans le club de notre ville, vous savez tous qu'il y a une équipe professionnelle. Je suis sûr que Romain et Artur en seront bientôt les vedettes et que les Shampooings… Euh… les Champelliens seront fiers de venir vous voir jouer.

Les Champelliens se sentaient tellement supérieurs après cette victoire que le lapsus du maire de

Flage ne les vexa pas. Au contraire, il les fit rire de bon cœur, tant on pardonne facilement quand on se sent le plus fort !

En riant, Romain regarda Artur et lui souffla à l'oreille :

— Platini !

— Eusebio ! chuchota Artur en réponse.

1

un **hameau**
Un groupe de maisons, dans la campagne.

2

dribbler un adversaire
Se présenter face à un adversaire et réussir à passer sans perdre le ballon.

3

un **pluviomètre**
Instrument qui sert à mesurer la quantité d'eau de pluie tombée.

4

indigner
Révolter. La nouvelle semble choquer, révolter Benoît.

5

navré
Désolé.

6

se démarquer
Échapper à la surveillance d'un joueur de l'autre équipe.

7

un **coup franc**
Au football, tir donné par l'arbitre à une équipe pour sanctionner une faute de l'autre équipe. L'équipe sanctionnée est obligée de se tenir à une certaine distance au moment du tir.

8

exténué
Très fatigué, épuisé.

9

atterré
Consterné, très découragé.

10

un **pénalty**
Coup de pied tiré face aux
buts, sans aucun adversaire
entre le gardien et le tireur.

11

jongler
Faire rebondir le ballon sans
qu'il touche le sol, en
se servant de différentes
parties du corps (les pieds
et la tête en général).

12

un **contact**
Lorsque le ballon touche la
tête ou le pied du joueur.

13

un tir d'**avant-centre**
L'**avant-centre** est le joueur
placé au centre de la ligne
d'attaque.

14

à un rythme **effréné**
Vite et sans s'arrêter.

15

un **coéquipier**
Joueur qui est dans la même
équipe.

16

un **sésame**
Mot magique qui fait
obtenir quelque chose. Ici, il
a permis à Romain de savoir
qu'Artur était passionné de
football, comme lui.

17

économe
Qui ne dépense pas son
argent inutilement.

18

il **s'emporta**
Il se mit en colère.

19

shooter
Tirer, donner un coup de
pied dans le ballon.

20

fustiger
Condamner, blâmer,
critiquer fortement.

21

il est **mené au score**
Il a moins de points, il est
en train d'être battu.

22

l'**ingéniosité**
Qualité de celui qui est
intelligent, habile et qui a de
l'imagination.

23

sceller leur amitié
Confirmer de façon
solennelle, pour renforcer
leur amitié.

24

laconiquement
En disant peu de mots.

25

l'**assiduité**
Qualité de ceux qui ne sont
jamais absents au travail.

26

un **métronome**
En musique, petit instru-
ment qui sert à marquer la
mesure.

27

une **négligence**
Faute due au manque
d'attention ou de soin.

28

chaleureux
Sympathique, agréable. Ils
sont heureux et se sentent
bien ensemble.

29

moite
Humide.

30

un **tandem**
Deux personnes qui jouent
ou qui travaillent ensemble.

31

une **anagramme**
Mot obtenu en changeant
l'ordre des lettres d'un mot.
Par exemple, *miel* est une
anagramme de *lime*.

32

une **déroute**
Une défaite sévère, par un
écart au score très élevé.

33

une **contre-attaque**
Brusque attaque de l'équipe
qui était dominée et qui
n'avait pas le ballon.

34

un **dégagement en cloche**
Tir dans le ballon pour
dégager son camp en
envoyant la balle haut et
loin par-dessus des joueurs.

35

du plus grand **classicisme**
La façon dont Romain et
Artur ont joué est classique,
bien connue.

36

un **supporter**
(on prononce : *su-por-tè-r*)
Un partisan, celui qui
soutient une équipe.

37

une **irrégularité**
Une faute, quelque chose
d'interdit par les règles du jeu.

38

une **interception**
Lorsqu'on prend le ballon
alors qu'il ne vous était pas
destiné.

39

une **feinte de corps**
Un mouvement de tout le
corps pour tromper un adversaire et lui faire croire qu'on
va jouer d'une certaine façon
alors qu'on a l'intention de
jouer autrement.

Tu es un super-lecteur
si tu as trouvé ces 12 bonnes réponses.

34, 37.

21, 23, 26, 32,

2, 4, 7, 12, 15, 17,

Maquette Jean Yves Grall, mise en page Joseph Dorly

Imprimé en France par Pollina, 85400 Luçon - n° 73960-A
Dépôt légal n° 16519 - février 1998